VEAMOS LOS CICLOS DE VIDA

Los ciclos de vida de los

peces

BRAY JACOBSON

TRADUCIDO POR ALBERTO JIMÉNEZ

Gareth Stevens
PUBLISHING

ENCONTEXTO

Please visit our website, www.garethstevens.com. For a free color catalog of all our high-quality books, call toll free 1-800-542-2595 or fax 1-877-542-2596.

Cataloging-in-Publication Data
Names: Jacobson, Bray.
Title: Los ciclos de vida de los peces / Bray Jacobson.
Description: New York : Gareth Stevens Publishing, 2018. | Series: Veamos los ciclos de vida | Includes index.
Identifiers: ISBN 9781538215678 (pbk.) | ISBN 9781538215227 (library bound) | ISBN 9781538215739 (6 pack)
Subjects: LCSH: Fishes--Life cycles--Juvenile literature.
Classification: LCC QL617.2 J25 2018 | DDC 597.156--dc23

First Edition

Published in 2018 by
Gareth Stevens Publishing
111 East 14th Street, Suite 349
New York, NY 10003

Copyright © 2018 Gareth Stevens Publishing

Translator: Alberto Jiménez
Editorial Director, Spanish: Nathalie Beullens-Maoui
Editor, Spanish: María Cristina Brusca
Designer: Samantha DeMartin

Photo credits: Series art Im stocker/Shutterstock.com; cover, p. 1 aaltair/Shutterstock.com; p. 5 (butterfly fish) Natursports/Shutterstock.com; pp. 5 (lionfish, stingray), 7 (main), 25 Rich Carey/Shutterstock.com; p. 5 (catfish) Kangcor/Shutterstock.com; p. 5 (shark) wildestanimal/Shutterstock.com; p. 7 (inset) Zhukova Valentyna/Shutterstock.com; p. 9 Andrea Izzotti/Shutterstock.com; p. 10 (seahorse) Education Images/Universal Images Group/Getty Images; p. 11 SergeUWPhoto/Shutterstock.com; p. 13 Uwe Kils/Wikimedia Commons; p. 15 Wild Horizon/Universal Images Group/Getty Images; p. 17 Ekaterina V. Borisova/Shutterstock.com; p. 19 Pete Niesen/Shutterstock.com; p. 21 Jeff Rotman/Photolibrary/Getty Images; p. 23 nicolasviosin44/Shutterstock.com; p. 27 Greg Amptman/Shutterstock.com; p. 29 Ramon Carretero/Shutterstock.com; p. 30 Lumena/Shutterstock.com.

Printed in the United States of America

CPSIA compliance information: Batch #CW18GS: For further information contact Gareth Stevens, New York, New York at 1-800-542-2595.

Contenido

Las palabras del glosario se muestran en **negrita** la primera vez que aparecen en el texto.

¡Peces frescos!

Los peces viven en los cuerpos de agua del planeta. Son vertebrados (tienen columna vertebral) y casi todas las especies tienen **sangre fría**. Respiran mediante **branquias** y están cubiertos de escamas.

Si quieres saber más

En nuestro planeta hay más de 30,000 especies de peces.

peces mariposa

pez león

bagre

tiburón

raya

5

Las especies de peces se han **adaptado** a los diferentes lugares donde viven. Sin embargo, la mayoría sigue el mismo ciclo de vida, es decir, la serie de fases que atraviesa un ser vivo durante su existencia.

Si quieres saber más

Los peces viven en muchos sitios muy distintos, como océanos, ríos y estanques. Sus ciclos de vida han cambiado a lo largo del tiempo para garantizar la **supervivencia** de las especies.

Para empezar, desovar

La primera fase de casi todos los ciclos de vida de los peces se llama desove. Las hembras ponen huevos, o huevas, en el agua y los machos los **fecundan** con las células de un líquido llamado lecha. A veces hay cientos de huevos, pero no todos son fecundados.

Si quieres saber más

Hay peces que desovan todos los años, otros que desovan cada cierto tiempo ¡y otros que mueren tras desovar una sola vez!

Ciertos peces desovan en un nido: una caracola vacía, un racimo de burbujas hecho por el macho o un agujero excavado por la hembra. Algunos realizan incubación bucal ¡porque calientan sus huevos en la boca!

Si quieres saber más

El caballito de mar macho, ¡lleva los huevos en una bolsa de su cuerpo mientras se **desarrollan!**

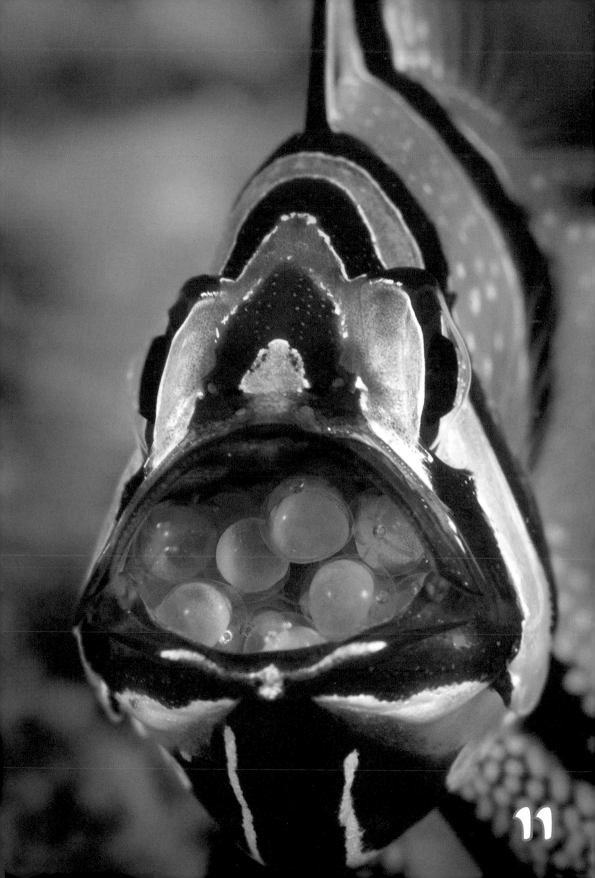

Fuera del huevo

Pasado un tiempo los huevos eclosionan. De ellos salen larvas que recién nacidas llevan comida en su propio cuerpo, en el vitelo, o saco vitelino. Una vez que consumen el vitelo, las larvas se llaman alevines.

Si quieres saber más

Los peces jóvenes se llaman alevines durante los meses en los que empiezan a alimentarse por sí mismos.

alevín

vitelo

13

La serie de cambios que experimenta un pez hasta convertirse en adulto se llama metamorfosis. Una vez que el alevín desarrolla partes corporales propias de un adulto, como las aletas, se denomina juvenil. El tiempo que tarda en llegar a ser un juvenil depende de la especie.

Si quieres saber más

Muchos peces no van más allá de la fase juvenil de su ciclo de vida, ya que su supervivencia está **amenazada** por los cambios de temperatura del agua, los depredadores y los problemas del **hábitat**.

Adultos

Los juveniles siguen su desarrollo. Cuando crecen lo suficiente para **reproducirse**, son adultos. Para algunos peces, esto ocurre cuando tienen un año. Aunque ciertas hembras, como las del esturión, ¡no se reproducen hasta cumplir más o menos los 25 años!

Si quieres saber más

Cuanto más vive un pez, más tiempo tarda en convertirse en adulto.

Ciclo de vida de un pez

huevo

larva

desove

alevín

adulto

juvenil

salmón especial

El salmón tiene un ciclo de vida básico como el de la mayoría de los peces, pero con un par de fases extra. Cuando está listo para desovar, abandona el océano para poner sus huevos ¡en el arroyo o río de agua dulce donde nació!

Si quieres saber más

Los peces del océano que **migran** para desovar en agua dulce, se llaman peces migratorios.

Tras convertirse en alevín, el salmón vive cierto tiempo en agua dulce antes de nadar hacia el océano. En ese tiempo le salen **escamas** y sigue creciendo. Luego, pasa de entre 1 y 8 años en el océano ¡antes de volver a su lugar de nacimiento para desovar!

Si quieres saber más

Tras desovar, tanto la hembra como el macho del salmón mueren.

Reproducción de la mantarraya

La raya también es un tipo de pez. La mantarraya atraviesa la mayoría de las fases del ciclo de vida de los peces, pero con una diferencia. La hembra lleva el huevo dentro de su cuerpo alrededor de un año. ¡Este huevo eclosiona en el interior del cuerpo de la madre!

Si quieres saber más

La hembra mantarraya solo se **aparea** una vez cada 2 años, aproximadamente.

La cría de mantarraya sigue creciendo dentro de la hembra, que da a luz una mantarraya joven. Solo tiene una o dos crías a la vez ¡pero cada una de ellas puede pesar más de 20 libras (más o menos 9 kg)!

Si quieres saber más

La hembra de mantarraya engendra en aguas poco profundas, cercanas a la costa, y abandona a su cría poco después de parir.

El ciclo de vida de la mantarraya

Los adultos se aparean.

La hembra lleva el huevo más o menos un año.

El huevo eclosiona dentro de la hembra.

La cría sigue creciendo.

La madre mantarraya engendra crías formadas.

La raya joven se convierte en adulta.

Crías depredadoras

Las hembras tiburones procrean de distintas maneras. Aunque algunas especies de tiburones ponen huevos, la mayoría los lleva en su interior hasta que eclosionan. Esas crías siguen creciendo dentro de la madre antes de nacer, como en el caso de la mantarraya.

Si quieres saber más

En algunas especies de tiburón, ¡la primera cría que sale del huevo dentro de la hembra se come a los demás huevos, e incluso a otras crías, antes de nacer!

Los tiburones blancos engendran hasta 12 crías en la misma camada. Como otros tiburones, abandonan a la madre de inmediato. Miden aproximadamente 5 pies (metro y medio), pero crecen mucho más antes de convertirse en temibles depredadores adultos.

Si quieres saber más

La mayoría de los tiburones no viven más de un año, porque otros depredadores de mayor tamaño, incluyendo tiburones adultos, ¡los devoran!

El ciclo de vida de los grandes tiburones blancos

Los huevos crecen dentro de la hembra.

Los huevos eclosionan dentro de la hembra, y las crías siguen creciendo.

Muchos jóvenes mueren el primer año, otros se convierten en adultos.

La hembra engendra jóvenes tiburones.

Los tiburones nadan y se alejan de su madre.

Glosario

adaptarse: cambiar para ajustarse a las condiciones.

amenazar: mostrar la capacidad de hacer daño.

aparearse: acercamiento físico para tener crías.

branquias: órganos que los animales marinos, como los peces, usan para respirar en el agua.

de sangre fría: animales cuya temperatura corporal es la misma que la del entorno.

desarrollarse: crecer y cambiar.

escama: cada una de las pequeñas láminas que cubren el cuerpo de ciertos animales.

fecundar: unir células del macho con el huevo de la hembra para engendrar crías.

hábitat: lugar natural donde vive un animal.

migrar: marcharse a otra zona.

reproducirse: crear una criatura igual que la adulta.

Para más información

Libros

Amstutz, L. J. *Investigating Animal Life Cycles*. Minneapolis, MN: Lerner Publications, 2016.

Veitch, C. *Fish Babies*. Chicago, IL: Heinemann Library, 2013.

Sitios de Internet

Peces
kids.nationalgeographic.com/animals/hubs/fish/
Aquí tienes información sobre muchos tipos de peces.

Índice